Fabio Casati   Chiara Codato

Ambarabà 2

Corso di lingua italiana per la scuola primaria

Alma Edizioni
Firenze

sillabo

Modulo 1 - Unità 1 - *Presentiamoci*

AMBITO TEMATICO	LESSICO	FUNZIONI	STRUTTURE GRAMMATICALI
• Conoscere i compagni	• Numeri da 1 a 20 • Colori: bianco, rosso, giallo, nero, marrone, verde, blu... • Aggettivi: alto, basso, magro, grasso	• Parlare di sé: Sono..., mi chiamo..., chi sei? • Dire e chiedere l'età: Ho, ha..., Quanti anni hai? Quanti anni ha? • Salutare: Buon giorno, ciao • Descrivere oggetti (chiedere il colore): Di che colore è? • Mostrare un oggetto: Ecco...!	• sono, sei, è • ho, ha • io, tu • il, la • mi chiamo • Concordanza maschile, femminile sing.

Modulo 1 - Unità 2 - *La mia casa*

AMBITO TEMATICO	LESSICO	FUNZIONI	STRUTTURE GRAMMATICALI
• La famiglia • Le stanze	• Membri della famiglia: mamma, papà, nonna, fratello, sorella • Ambienti della casa: cucina, soggiorno, ingresso, camera, cameretta, bagno • Numeri da 1 a 20 (ripresa) • Aggettivi: nuovo, vecchio, grande, piccolo	• Chiedere e dire il nome di una terza persona: Come si chiama? Lui si chiama..., lei si chiama... • Localizzare: Dove è? • Descrivere la casa: Come è? • Esprimere possesso	• è, sono, c'è, non c'è • in, nel, sul, sulla, nella • mio, mia • lui, lei • si chiama • Concordanza nome aggettivo maschile, femminile sing.

Modulo 1 - Unità 3 - *In classe*

AMBITO TEMATICO	LESSICO	FUNZIONI	STRUTTURE GRAMMATICALI
• Oggetti dell'alunno • Oggetti dell'aula	• Oggetti scolastici: gomma, righello, penna, matita, colori, colla, forbici, astuccio, lavagna, banco, cestino • Azioni in classe: giocare, tagliare, incollare, colorare, disegnare, cancellare • Aggettivi: aperto, chiuso, pulito, sporco...	• Chiedere per informarsi: Che cosa hai? • Dare e ricevere istruzioni: Alzati! Vai! Cancella la lavagna!... • Parlare di possesso: Di chi è?	• ha • un, uno, una • Imperativo II pers. sing. dei verbi in -are, -ere, -ire • con • Presente indicativo I e III persona singolare verbi in -are • di chi è? È di

Modulo 2 - Unità 1 - *Tutti in forma con Bidù*

AMBITO TEMATICO	LESSICO	FUNZIONI	STRUTTURE GRAMMATICALI
• Il corpo	• Parti del corpo: testa, capelli, orecchie, occhi, naso, bocca, denti, faccia, braccio, mano, pancia, gamba, piede • Azioni e parole di movimento avanti, indietro, giù, su	• Descrivere fisicamente un personaggio • Esprimere quantità: Ha tre... • Dare comandi: prendi, lava, sciacqua, alza	• Ripresa verbo avere • Quanti? Quante? • Imperativo (ripresa II pers. sing.) • Dare comandi: prendi, lava, sciacqua, alza

Modulo 2 - Unità 2 - *Che buono!*

AMBITO TEMATICO	LESSICO	FUNZIONI	STRUTTURE GRAMMATICALI
• Cibi e bevande • Cosa piace, cosa non piace	• Cibi: riso, pollo, pesce, pane, pastasciutta, insalata, mela, succo, formaggio, torta, aranciata, caramella, cioccolata • Bevande: acqua, succo di mela, aranciata, caffè, limonata • Aggettivi per commentare: buono, cattivo	• Chiedere cibi e bevande: Per piacere, mi dai... • Ringraziare: Grazie, grazie mille • Commentare: Che buono! • Esprimere gusti: A me piace, a te piace, mi piace, mi piacciono, che buono • Negare: Non mi piace, a me non piace	• Indicativo presente dei verbi in -are e -ere: io mangio, io bevo • Frasi negative introdotte da non • Articolo l'

Modulo 2 - Unità 3 - *Cosa mi metto?*

AMBITO TEMATICO	LESSICO	FUNZIONI	STRUTTURE GRAMMATICALI
• Gli abiti	• Vestiti e accessori: camicia, gonna, pantaloni, maglia, maglione, cappotto, berretto, pigiama, giacca, maglietta, sciarpa, scarpe, mutande, calze, calzini, pantofole, guanti, sandali... • Stagioni: estate, autunno, inverno, primavera	• Parlare di abiti: Cosa ti metti? Mi metto • Descrivere capi di abbigliamento • Esprimere possesso: Questa giacca è mia, quella gonna è tua	• Questo, quello, questa, quella, questi, queste • Concordanza nomi-aggettivi al plurale • Aggettivi possessivi: mio, mia, tuo, tua • Avere e essere (ripresa): Io ho i pantaloni rossi, io non ho la maglia gialla

Modulo 3 - Unità 1 - *Tanti auguri*

AMBITO TEMATICO	LESSICO	FUNZIONI	STRUTTURE GRAMMATICALI
• Regali	• (Numeri) • Regali: il libro, la macchinina, la racchetta da tennis, la penna, l'orsetto • Mesi dell'anno: gennaio, febbraio, marzo, aprile, maggio, giugno, luglio, agosto, settembre, ottobre, novembre, dicembre • Azioni: mangiare, ballare, cantare, giocare, compiere gli anni...	• Augurare buon compleanno: Tanti auguri! • Dare un regalo: Questo è per te. • Descrivere azioni: mangiano, giocano, leggono, camminano • Indicare e descrivere regali • Commentare: Che bello! Che buono! • Porre domande relative al compleanno: Quando sei nato? Quando è nato ...? Quanti anni compi? Quanti anni compie ...? Quando compi gli anni? Quando compie gli anni ...?	• Pronomi dimostrativi: questo, questa (ripresa); • Questo è il/la, un/uno/una/un' • Articolo indeterminativo: un, uno, una • Che cosa fa? Che cosa fanno? • III pers. sing. e pl. presente indic. verbo avere e verbi in -are, -ere, -ire: mangia, mangiano; dorme, dormono, apre, aprono • Avverbi interrogativi: quando? quanti? • I e III pers. sing. pres. ind. regalare a

Modulo 3 - Unità 2 - *A cosa giochiamo?*

AMBITO TEMATICO	LESSICO	FUNZIONI	STRUTTURE GRAMMATICALI
• Giochi al chiuso	• Giocattoli: trenino, carte, bambola, palla, biglie, tombola, pista, dama • Ambienti della casa • Mobili: divano, letto, tavolo, sedia, cassetto	• Localizzare persone o oggetti • Dare istruzioni • Seguire istruzioni scritte e sentite • Proporre attività • Accettare o rifiutare proposte • Esprimere appartenenza: È di... • Esprimere stati d'animo e stati fisici: Non ho fame, non ho sete, non ho tempo, non ho voglia, non mi piace (ripresa)	• Preposizioni di luogo: sopra, sotto, davanti, dietro, dentro, fuori, nel, vicino • Questo è un /una, questi sono i/gli, queste sono le • A cosa giochiamo? I pers. plur. presente indicativo. • La preposizione di

Modulo 3 - Unità 3 - *Andiamo in cortile?*

AMBITO TEMATICO	LESSICO	FUNZIONI	STRUTTURE GRAMMATICALI
• Caccia al tesoro	• Luoghi esterni: in cortile • Giochi all'aperto: nascondino, corsa con i sacchi, mosca cieca, carriola, campana, trampoli	• Capire istruzioni di giochi • Descrivere azioni proprie e altrui • Localizzare una persona • Cantare • Raccontare una storia • Recitare una filastrocca	• Preposizioni di luogo: Dove? In, sul, sulla, nel, nella • Che cosa fai? Che cosa fanno? • III pers. plur. pr. indic. verbi regolari • Imperativo

N.B.: Nel sillabo si è ritenuto opportuno indicare le strutture e il lessico incontrati per la prima volta.

Introduzione

Che cos'è Ambarabà

Le bambine e i bambini di oggi devono prepararsi a parlare in lingue diverse per poter giocare e divertirsi con gli altri, anche con quelli che non parlano la loro stessa lingua. **Ambarabà** compie questa bella magia: aiuta le bambine e i bambini a imparare la lingua italiana in modo amichevole, divertente, intelligente.

Il corso si rivolge a bambini dai 6 ai 10 anni e prevede 5 livelli, uno per ogni anno di scuola primaria. Si presta ad essere utilizzato sia all'estero con bambini stranieri sia in Italia con classi mono e plurilingue.

Ambarabà 2 è dedicato a bambini della seconda classe della scuola primaria e si compone di:

- **un libro per l'alunno** con tre moduli di lavoro divisi a loro volta in tre unità didattiche. Ogni modulo è un percorso didattico a tema, dove vengono proposti, soprattutto attraverso attività orali, gli elementi di lingua che verranno approfonditi nei quaderni di lavoro;

- **tre quaderni di lavoro** ognuno dei quali sviluppa e consolida, attraverso un'ampia gamma di attività scritte, il percorso didattico di uno dei tre moduli del libro dell'alunno;

- **una guida per l'insegnante** che spiega in modo puntuale come utilizzare le diverse componenti di **Ambarabà 2**, fornisce indicazioni metodologiche, illustra ogni attività, riporta integralmente i testi d'ascolto e le canzoni ed è fornita di allegati fotocopiabili che arricchiscono la proposta didattica del corso;

- **un CD audio** con le attività di ascolto;

- **un CD audio** con le canzoni e le basi musicali, tutte originali e appositamente composte da musicisti professionisti.

Caratteristiche

Oralità: tutto il corso dà molto rilievo alle abilità orali. In particolare **Ambarabà 2** si rivolge a bambini che hanno da poco imparato a leggere e a scrivere. Da una parte quindi è centrato su una grande varietà di esercizi di ascolto, canzoni, filastrocche, attività di produzione orale; dall'altra propone, soprattutto nei quaderni di lavoro, numerose e varie attività di lingua scritta. La lingua cui il bambino è esposto è una lingua viva e autentica.

Manualità: in modo adeguato alla fascia d'età cui si rivolge, spesso è richiesto al bambino di ritagliare, incollare, colorare, disegnare.

Il gioco: una buona parte delle attività è di carattere ludico.

Interazione: il libro è centrato sull'apprendimento interattivo e cooperativo attraverso attività in coppia o in gruppo.

T.P.R.: il volume pone particolare attenzione al coinvolgimento fisico e multisensoriale del bambino attraverso l'utilizzo di tecniche derivate dal Total Physical Response.

Come si usa

Per l'insegnante: la guida offre un utile e necessario supporto all'utilizzo del corso.

Per il bambino: nel libro per l'alunno e nei tre quaderni di lavoro, accanto all'istruzione che introduce ogni esercizio, un'icona permette al bambino di riconoscere la tipologia di attività che deve svolgere.

Jolanda Caon e *Rita Gelmi*

Modulo 1

Ascolta e indica chi parla.

Apri il quaderno di lavoro a pagina 49 e 51. Gioca a fare il teatrino.

Ascolta e leggi la canzone, poi canta anche tu.

2 CD2 1

Io / mi chiamo / mi chiamo Lea
ho Sei anni / e vado a scuola.
Ora / non dico / niente di più
devi / andare / avanti tu.

Apri il glossario a pagina 75 e leggi il nome dei colori.

CASA

3

Lavora con un compagno. Conta i quadretti colorati.
Il tuo compagno controlla nel glossario. La volta dopo lui conta e tu controlli.

4

Lavora con un compagno. Scopri quanti anni hanno i bambini.
Una volta fai tu le domande. La volta dopo rispondi.

5

Fa' le domande al tuo compagno. Poi rispondi.

Quanti anni ha Luca?
Luca ha...

L'arcobaleno

♪   *Verde, verde è la mela magica,*
    giallo è il colore del limone.
L'albicocca invece è arancione,
rosso e viola sono i colori di Bidù.

L'arcobaleno, l'arcobaleno
è molto, molto colorato.
L'arcobaleno, l'arcobaleno
è una magia di Bidù.
Ambarabà cicci cuccù,
la magia di Bidù.

Verde, verde è la mela magica,
giallo è il colore del limone.
Blu e bianco è il gatto Barbablù,
e nero nero è il pipistrello di Bidù.

1

Unità *uno*

Apri il quaderno di lavoro a pag. **13** e colora gli oggetti della canzone.

Bidù fa una magia e cambia il colore degli oggetti. Indica con il dito un oggetto e fa' al tuo compagno domande come nell'esempio. Il tuo compagno risponde, poi fa lui una domanda a te e tu rispondi.

7

Di che colore è la mela?
La mela è rossa.

CD1 3 **8** Ascolta e fa' i movimenti. Poi leggi la filastrocca.

La scatola di Bidù

Ecco la scatola di Bidù,	tutti per terra è blu, blu, blu.
Ecco la scatola senza coperchio,	è viola, viola, facciamo un cerchio.
Ecco la scatola in alto in alto,	è rossa, rossa, facciamo un salto.
Ecco la scatola che va qua e là,	è verde, verde, venite qua.
Prendo la scatola, ma di nascosto,	correte tutti al vostro posto.

Apri il quaderno di lavoro a pag. 53 e colora la scatola di Bidù come indicato dalla filastrocca.

CD1 4 **9** Ascolta e indica.

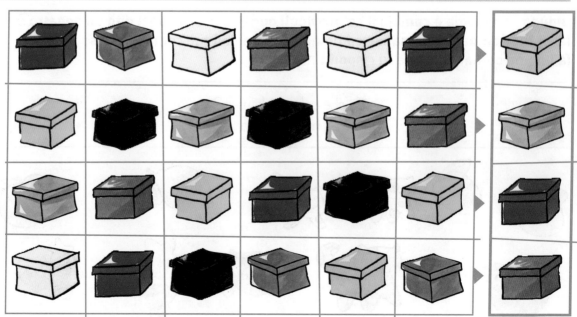

Leggi il fumetto.

Ascolta e canta la canzone.

In piccoli gruppi mimate, poi recitate la scenetta.

La mia casa

CD1 5 **1** **Ascolta e indovina che cosa si rompe.**

Ascolta e indica la stanza.  **2** CD1 6

Apri il quaderno di lavoro a pagina 55. Ritaglia le figure.

Ascolta e metti le persone nelle stanze. **3** CD1 7

Ascolta e rispondi alle domande. **4** CD1 8

Lavora con un compagno.
Metti le persone nelle stanze e rispondi alle sue domande. **5**

6 Scopri com'è la casa di Bidù. Descrivi la casa di Bidù con un compagno.

piccola

nuova

vecchia

blu

verde

grande

 Nel quaderno di lavoro a pagina **20** puoi colorare la casa di Bidù.

7 CD1 9

La casa di Bidù

La mia casa è piccolina,
ha una stanza e una cucina,
un gran letto per sognare
e le ruote per viaggiare.

La mia mamma è tanto bella,
la sua casa è su una stella,
con lei vive mia sorella,
che si chiama Caramella.

Papà naviga sul mare
con un magico battello,
con lui vive mio fratello
che si chiama Raffaello.

2

Unità *due*

La mia casa

quindici 15

8 Guarda i disegni. Lavora con un compagno. Fa' domande e rispondi.

soggiorno   ingresso   camera   cucina   cameretta   bagno

9 Lavora con un compagno. Fa' domande e rispondi.

Come è ...? ... è sporco ... è pulito ... è nuovo ... è vecchio.

Ascolta. Scopri dov'è Caramella e che cosa fa. **10** CD1 10

Dov'è?

Pim Pam

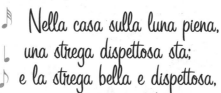

♪ Nella casa sulla luna piena,
una strega dispettosa sta;
e la strega bella e dispettosa,
in cucina una magia fa.
Perciò "pim pam" la strega "pim pam"
di notte va sul sentiero di stelle gialle.

Nella casa sulla luna piena,
una strega dispettosa sta;
nel soggiorno verde, viola, bianco
tante sedie rosse e gialle ha.
Perciò "pim pam" la strega "pim pam"
di notte va sul sentiero di stelle gialle.

Nel soggiorno verde, viola, bianco
una strega dispettosa sta,
di nascosto porta via una sedia
e un bambino in braccio all'altro sta.
Perciò "pim pam" la strega "pim pam"
di notte va sul sentiero di stelle gialle.

2

Unità *due*

La mia casa

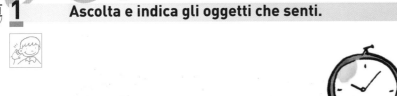

1 Ascolta e indica gli oggetti che senti.

Metti cinque oggetti sul banco. Il tuo compagno dice alla classe quali oggetti hai. **3**

(Mario) ha un ...
(Mario) ha una...

CD1
13 **4** Ascolta e batti le mani quando senti un oggetto della classe.

CD1
14 **5** Ascolta e indica.

Sofia

Luca

Anna

Lea

Rosa

Davide

CD1
15 **6** Ascolta ed esegui.

7 Adesso da' tu i comandi alla classe.

8 Leggi e indica.

La cattedra è nuova.

Il cestino è grigio.

Il quaderno è aperto.

La lavagna è pulita.

Il banco è rosso.
La sedia è gialla.

Rita colora. Alessandro cancella. Chiara incolla.

Cinzia disegna. Ivano gioca. Fabio taglia.

Parla con un compagno e descrivi i disegni come nell'esempio. **10**

Ivano gioca con la palla.

Fa' domande al tuo compagno e rispondi come nell'esempio. **11**

Di chi è ...?
È di ...

Di chi sono ...?
Sono di ...

Adesso scrivi nel tuo quaderno le frasi che hai detto.

3
tre

Unità

E poi e poi

Vieni alla lavagna,
disegna la montagna,
calcola la somma,
cancella con la gomma
e poi e poi...
mangia la merenda, tira
un po' la tenda
canta la canzone, ascolta
la lezione
e poi e poi...

E poi
non ce la faccio più,
voglio guardare la tivù,
andare a spasso
e fare chiasso
a volontà!

Metti nell'astuccio
la penna col cappuccio,
prepara la cartella, aiuta
tua sorella
e poi e poi...
va' piano per le scale così
non ti fai male,
poi sali in bicicletta,
va' a casa senza fretta
e poi e poi...

Ascolta e indica.

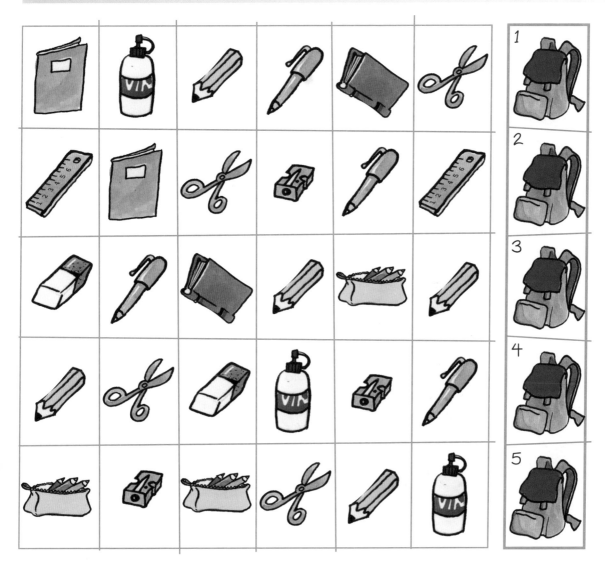

Ascolta l'intervista a Bidù. Scopri l'età e cosa fa a scuola.

3
tre

Unità

Lola

Lola cammina tutta sola.
Lola incontra Lea.
"Vieni a giocare con me?"
"Mi dispiace cara Lola,
ma devo andare a scuola".

Lola cammina tutta sola.
Lola incontra Marco.
"Vieni a giocare con me?"
"Mi dispiace cara Lola,
ma devo andare a scuola".

Lola cammina tutta sola.
Lola incontra Anna.
"Vieni a giocare con me?"
"Mi dispiace cara Lola,
ma devo andare a scuola".

Lea va a scuola, Marco va a scuola,
Anna va a scuola e così io sono sola!

Lola incontra Lulù. "Sono tanto triste, perché sono tanto sola,
tutti i miei amici adesso sono a scuola".
"Davvero Lola, vuoi andare a scuola? È così brutto giocare da sola?"

"Sì, è proprio brutto, aiutami tu
fa' una magia, una magia di Lulù".

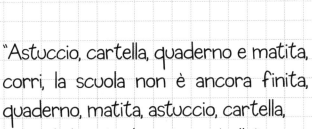

"Astuccio, cartella, quaderno e matita,
corri, la scuola non è ancora finita,
quaderno, matita, astuccio, cartella,
a scuola la vita diventa più bella".

Lola

Gioco dell'oca

1
Come ti chiami?
Quanti anni hai?

2
Di' cinque
colori.

3
Recita la
filastrocca: "La
scatola di Bidù".

4
Canta la canzone
"Buon giorno".

5
Bidù fa una magia.
Fa' tre passi
avanti.

6
Di' il nome
di tre
stanze
della casa.

7
Recita la
filastrocca:
"La casa di
Bidù".

14
Bidù fa una
magia.
Fa' tre passi
avanti.

13
Quanti bambini
ci sono nella
tua classe?

15
Quante porte
ci sono a casa
tua?

16
Canta
la canzone:
"E poi, e poi".

17
Ritorna al 12.

18
Con che
cosa scrivi?

Arrivo!

20
Racconta la
storia di Lola.

19
Con
che cosa
cancelli?

12
Di' il nome
di tre oggetti
nella cartella.

11
Quanto fa
sette più
cinque?

10
Fa' tre passi
indietro.

9
Tira di nuovo.

8
⭐ Canta la
canzone
"Pim Pam".

Modulo 2

CD1 19" **1**   Ascolta e scopri perché Luca non vuole fare l'esercizio.

Ascolta ed esegui i comandi.

2 CD1 20"

3 Ascolta l'insegnante e tocca le parti del corpo che senti.

occhi

braccio

denti

orecchie

naso

bocca   faccia   pancia

capelli   testa   mano   piede

gamba

4 Ascolta e indica il mostro giusto.

5 Ascolta e disegna il mostro nel tuo quaderno.

Tutti in forma con Bidù

Ascolta e indica.

Descrivi un mostro. Il tuo compagno indovina.
Poi il tuo compagno descrive un mostro e tu indovini.

7

Scegli un mostro. Il tuo compagno ti fa domande per indovinare il mostro che hai scelto.

8

Quanti occhi ha? Quante mani ha?

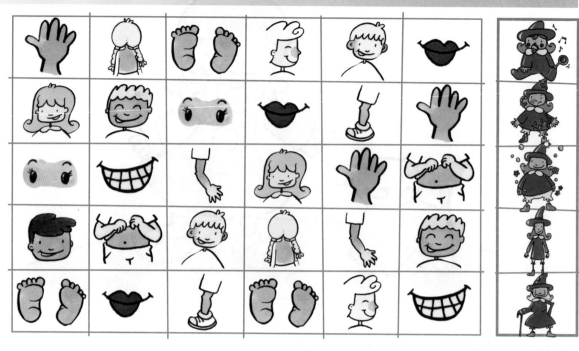

CD2 11 **10** Ascolta e fa' i movimenti. Poi canta e fa' i movimenti.

Tutti in forma con Bidù

Un passo avanti,
un passo indietro,
un passo di qua,
un passo di là.

Un salto avanti,
un salto indietro,
un salto di qua,
un salto di là.

Avanti,
indietro,
di qua e di là,
su e giù,
tutti in forma con Bidù.

Avanti,
indietro,
di qua e di là,
su e giù,
tutti in forma con Bidù.

Due passi avanti,
due passi indietro,
due passi di qua,
due passi di là.

Due salti avanti,
due salti indietro,
due salti di qua,
due salti di là.

Avanti, avanti,
indietro, indietro,
di qua, di qua, di là, di là,
su e giù, su e giù,
tutti in forma con Bidù.

Avanti, avanti,
indietro, indietro,
di qua, di qua,
di là, di là,
su e giù, su e giù
tutti in forma con Bidù.

Adesso tocca a te dare ordini come quelli che hai sentito al tuo compagno, lui esegue. Poi tocca a lui e tu esegui. **12**

Che buono!

1 Ascolta e di' al tuo compagno che cosa mangia oggi Lea.

Guarda il disegno. Cosa dicono i bambini? Dillo al tuo compagno.

Che cosa ti piace?
Che cosa non ti piace?

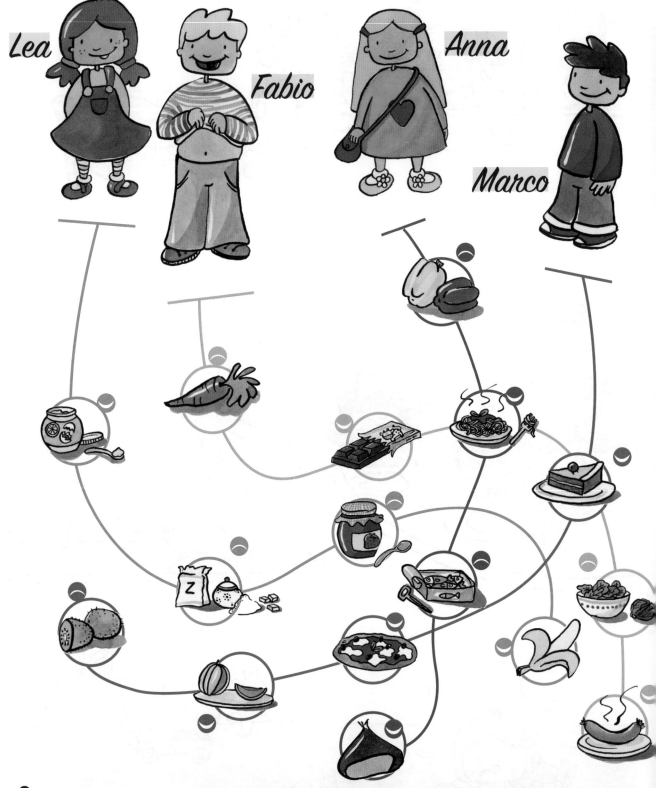

3

Lavora con un compagno. Fa' domande, poi rispondi.

Che cosa ti piace?
Che cosa non ti piace?

Mi piace tanto...
Non mi piace...

Che buono!

Leggi e indica cosa mangiano Lea e Marco.

Oggi mangio la pastasciutta, l'insalata, il pollo e la mela. Non mangio il pesce. Bevo il succo di mela.

Io mangio la pastasciutta, il pesce, il formaggio e la torta. Non mangio il pollo. Bevo l'aranciata.

Di' a un compagno cosa mangi e cosa bevi oggi. **5**

Oggi mangio...
Oggi bevo ...

Ascolta e canta. **6** CD2 13

Per piacere

Silvia per piacere, mi dai una caramella?
Silvia per piacere, mi dai una caramella?
Ecco, ecco, ecco qua, ecco la caramella.
Ecco, ecco, ecco qua, ecco la caramella.

Grazie, grazie, grazie mille, per la caramella.
Grazie, grazie, grazie mille, per la caramella.

Unità due

2

Che buono!

Marco per piacere, mi dai una cioccolata?
Marco per piacere, mi dai una cioccolata?
Ecco, ecco, ecco qua, ecco la cioccolata.
Ecco, ecco, ecco qua, ecco la cioccolata.

Grazie, grazie, grazie mille, per la cioccolata.
Grazie, grazie, grazie mille, per la cioccolata.

7 Lavora con un tuo compagno. Fa' il teatrino come nell'esempio.

Per piacere, mi dai un (gelato)...

Ecco il gelato.

Grazie. Che buono!

CD1 27"

8 Ascolta, indica l'oggetto, scrivi la lettera nel quaderno e scopri la parola.

Che buono!

A me, a te

♪ A me piace la pastasciutta
e a te piace la frutta
a me piace la cioccolata
a te piace la marmellata

A me piace questo,
a te piace quello,
non importa,
proprio questo è il bello.

A me piacciono le patatine,
a te piacciono le zucchine,
a me piacciono i fagiolini,
a te piacciono i tortellini.

A me piace questo
a te piace quello
non importa,
proprio questo è il bello.

l'aranciata
l'insalata

l'uovo
l'olio

Ora di' al tuo compagno tutte le cose che ti piacciono.

10

Mi piacciono le patatine.

Mi piacciono le zucchine.

Mi piacciono gli spaghetti.

Unità *due* 2

Cosa mi metto?

CD1 28 **1** **Ascolta e indica cosa si mette Lea.**

Lea, ti invito al mio compleanno.
Vieni in maschera. Porta tua sorella.

Oh, grazie. Ciao!

Che cosa mi metto?
Questa maglia rossa non
mi piace... questi pantaloni
verdi sono per l'estate...
ah ecco, questa gonna mi piace...

Cosa ti metti?

Modulo *due*

2

Ascolta e indica. **2** CD1 29

metti

A scuola      A letto

togli

Ascolta e mima. **3** CD1 30

Ascolta e ripeti la filastrocca. **4** CD1 31

Questo o quello, chi è più bello
questo gatto oppure quello?

Questo è piccolo e tigrato
ha due macchie cioccolato;
quello è grande e ordinato,
tutto bello pettinato.

Questo è matto e ama giocare,
quello vuole riposare.
Questo qui è il mio preferito
ma da cosa l'hai capito?

Cosa mi metto?

Unità *tre* 3

5 Cosa dicono i bambini? Parla con il tuo compagno, segui l'esempio.

Questa è la mia giacca, quella è la tua gonna.

CD1 32
6 Ascolta e indica il bambino che parla.

Cosa mi metto?

Ascolta e indica.

Leggi e indica i tre gemelli Pino, Lino e Tino nella fotografia.

Pino, che bella foto. Quale sei tu?

Lino, la tua maglietta è rossa, i tuoi pantaloni sono bianchi e le tue scarpe sono blu.

E io quale sono? Su, Marco, indovina!

Scoprilo tu. La mia maglietta è gialla, i miei pantaloni sono rossi e le mie scarpe sono bianche.

Eh, no, quello è Tino. La mia maglietta è arancione, i miei pantaloni sono verdi e le mie scarpe sono marrone.

Tu sei uno dei tre gemelli.
Descriviti. Il tuo compagno scopre il tuo nome.

Lino Pino Tino

Cosa mi metto?

3

Unità *tre*

Modulo *due*

2

Guarda il disegno. Leggi le domande. Rispondi insieme ad un compagno.

Cosa ti metti? Oggi mi metto...

Cosa mette in valigia? Lea mette in valigia...

È inverno. Fa freddo. Cosa ti metti?
È estate. Fa caldo. Cosa ti metti?
Piove. Cosa ti metti per non bagnarti?

Lea va al mare. Cosa mette in valigia?
Marco va in montagna.
Cosa mette in valigia?
Anna va in palestra.
Cosa mette nella borsa?

Ascolta e canta la canzone.

I colori delle stagioni

Giallo, giallo il sole dell'estate,
blu è il mare delle mie vacanze.
Colorate sono le stagioni
estate, autunno, inverno e primavera.

Bianca è la neve dell'inverno
grigio è il cielo quando piove.
Colorate sono le stagioni
estate, autunno, inverno e primavera.

Arancione il bosco dell'autunno
e marrone sono le castagne.
Colorate sono le stagioni
estate, autunno, inverno e primavera.

Rosa i fiori della primavera
nera è la rondine nel cielo.
Colorate sono le stagioni
estate, autunno, inverno e primavera.

Unità tre

3

Cosa mi metto?

Lola e il mal di gola

Lola torna dalla scuola
e ha tanto mal di gola.

Chiede la mamma:
"Come è andata a scuola, Lola?"
"È proprio bello andare a scuola,
ma adesso ho tanto mal di gola".
"Se non stai del tutto bene,
bevi il latte con del miele".

Chiede il babbo:
"Come è andata a scuola, Lola?"
"È proprio bello andare a scuola,
ma adesso ho tanto mal di gola".
"Se sei un poco raffreddata,
ben la sciarpa va annodata".

Chiede la nonna:
"Come è andata a scuola, Lola?"
"È proprio bello andare a scuola,
ma adesso ho tanto mal di gola".
"Metti in testa un bel berretto,
e poi va' subito a letto.

Lola ha tanto mal di gola
e a letto è tutta sola.
Miele e latte, sciarpa in testa
non è proprio una gran festa.
Ma appena guarda in su,
ecco vede... sì, è Lulù.

"Lola, che fai qui tutta sola?".
"Ho tanto mal di gola".
"Arcobaleno, profumo di fiori,
il mal di gola non ama i colori.
Profumo di fiori, arcobaleno
il cielo subito torni sereno.
Fa' un bel sorriso, cogli una viola
e non pensare più al mal di gola".

Lola e il mal di gola

Gioco dell'oca

1 Di' il nome di 5 parti del corpo.

2 Quanti bambini della tua classe hanno i capelli lunghi?

3 Di' il nome di 5 cose da mangiare.

4 Canta la canzone: "A me, a te".

5 Ti piace l'insalata?

6 Bidù fa una magia. Fa' tre passi avanti.

7 Fa' tre passi indietro.

8 Canta la canzone: "I colori delle stagioni".

9 Che cosa metti in valigia per andare al mare?

10 Ti piace la pastasciutta?

11 Di' cosa fa la bambina.

12 Che cosa mangi?

13 Tira di nuovo il dado.

14 Come è vestito il tuo compagno?

15 Bidù fa una magia. Fa' tre passi avanti.

16 Che cosa metti se piove?

17 Canta la canzone: "Tutti in forma con Bidù".

18 Descrivi il mostro.

19 Ritorna al 15.

20 Racconta la storia di Lola.

Arrivo!

Modulo due

2

Modulo 3

Tanti auguri
A cosa giochiamo?
Andiamo in cortile?

Tanti auguri

CD1 34 **1** Ascolta e scopri cosa regala Luca ai suoi amici.

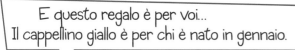

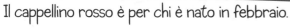

Apri il quaderno di lavoro a pagina 43 e costruisci il cappellino.

Tanti auguri

2 Segui il percorso e scopri cosa regalano gli amici a Luca.

Cosa regala Marco a Luca?
Marco regala a Luca un ...

3 Fa' domande al tuo compagno come nell'esempio. La volta dopo rispondi.

CD1
35

4 Ascolta, indica l'oggetto, scrivi la lettera nel quaderno e scopri la parola.

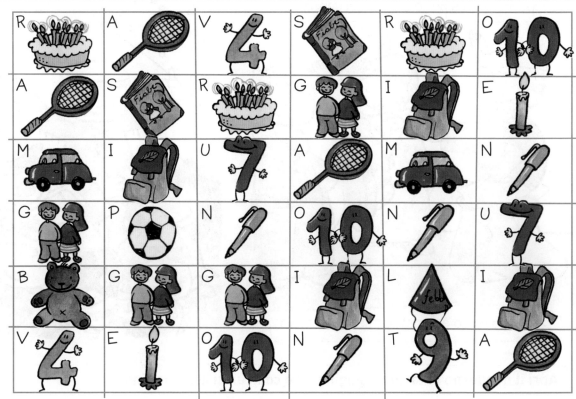

Ascolta e canta.

Buon compleanno

Oggi è il tuo compleanno,
buon compleanno!
Soffia sulle candeline
buon compleanno!
Sette, otto, nove, dieci
buon compleanno!
Mangio, bevo, gioco, canto
buon compleanno!

Il regalo è per te
buon compleanno!
Il regalo è per te
buon compleanno!
Tanti, tanti, tanti auguri
buon compleanno!

Alles Gute, Alles Gute
buon compleanno!
Happy Birthday, Happy Birthday,
buon compleanno!
Bianco, rosso, verde, giallo
buon compleanno!
Alto, basso, magro, grasso
buon compleanno!

Ascolta e ripeti la filastrocca dei mesi.

 Gennaio va sul ghiaccio

febbraio fa il pagliaccio

marzo è capriccioso

aprile è un po' piovoso

 maggio ha la maglietta

 giugno è in bicicletta

luglio va a nuotare

agosto a camminare

 settembre ha la cartella

ottobre ha l'uva bella

novembre ha il raffreddore

 dicembre ha un grande cuore.

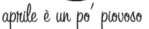

Adesso scrivi sul cappellino che hai fatto il nome del mese in cui sei nato e coloralo.

7 Prepara il calendario dei compleanni della tua classe.

8 Fa' domande al tuo compagno come nell'esempio. La volta dopo rispondi.

Quando è nato Marco?
Marco è nato in luglio.
Quando è nata Laura?
Laura è nata in giugno.

Quando compie gli anni Marco?
Marco compie gli anni in luglio.
Quanti anni compie?
Compie 7 anni.

9 Leggi e scopri chi manda questi inviti.

Sei invitato al mio compleanno. Vola a casa mia il 30 aprile. Ti aspetto sulla luna.

Vieni a festeggiare con me il mio primo compleanno.

Vieni al mio compleanno. Non serve il regalo, porta con te tanta allegria. Ti aspetto.

Ti aspetto a pranzo il giorno del mio compleanno. porta tante, tante candeline.

 Apri il quaderno di lavoro a pagina 45 e prepara l'invito per la festa del tuo compleanno.

Ascolta e indica, poi canta la canzone.

Che cosa fa?
Che cosa fanno?

Apre,
cantano,
leggono,
balla,
mangiano,
beve,
canta,
ballano,
mangia,
legge,
bevono,
aprono.

Che cosa fanno le persone e gli animali nel parco? Guarda il disegno per un minuto, poi chiudi il libro e rispondi alle domande del tuo compagno. La volta dopo fai tu le domande. 11

Tanti auguri

A cosa giochiamo?

1 **Ascolta e indica i bambini nascosti.**

CD1
37

A cosa giochiamo?

Modulo *tre*

3

Loris

Lino

Ugo

Paolo

Sandro

A cosa giochiamo?

A cosa giochiamo?

 **2** Ascolta e indica nel disegno gli oggetti che senti.

3 Recita la filastrocca e batti le mani quando senti la rima.

4 Osserva il disegno, poi chiudi il libro e rispondi alle domande del tuo compagno.

5 Guarda il disegno, chiedi al tuo compagno dove sono gli oggetti.

> Dov'è il gatto?
> Il gatto è sul tavolo.

Gli amici hanno portato i loro giochi a casa di Marco. La mamma li vede e chiede di chi sono. Guarda il disegno e fa' al tuo compagno domande come nell'esempio. Lui risponde. La volta dopo lui domanda e tu rispondi.

Di chi è questo domino? È di Mauro.	Di chi sono queste macchinine? Sono di Alessandro.

Ascolta ed esegui.

8 **Leggi e segui le istruzioni.**

Parole sulla schiena

Pensa una parola.

Scrivila su un foglietto.

Poi scrivila in stampatello maiuscolo con il dito indice sulla schiena del tuo compagno.

Se il tuo compagno la indovina, tocca a lui, altrimenti tocca ancora a te.

Guarda i disegni e prova a raccontare la storia al tuo compagno. Come finisce la storia?

Guarda le figure. Chiedi a un compagno di fare qualcosa con te. Lui risponde.

A cosa giochiamo?

Andiamo in cortile?

Andiamo in cortile?

1 Leggi e scopri il tesoro.

2 Sai come si chiamano questi vecchi giochi? Leggi le sillabe che si trovano nelle caselle indicate e scrivi il nome del gioco nel quaderno.

tram	con	mo	pa	rio	co	scon	cam	po	bi	e	li	i	cor	la
1	2	3	4	5	6	7	8	9	10	11	12	13	14	15

na	no	sac	sti	car	sca	la	ca	na	cie	sa	di	chi	glie	
16	17	18	19	20	21	22	23	24	25	26	27	28	29	

3 Ascolta gli ordini della maestra e mima.

Sara gioca con la bambola.
Sara e Paolo non giocano con le biglie.

Sara

Paolo

Verena

Massimo

3

5 Che cosa fanno i bambini? Parla con il tuo compagno.

Roberto Matilde Tommaso Marco Franco Lidia Fabio Anna Lisa

Teo Dario Andrea Luca Flora Lea Marco Emma Elena Maura

CD1 40

6 Ascolta la filastrocca, poi guarda le figure e ripetila.

CD1 41

7 Ascolta e indica.

8 Conosci questi giochi? Spiegali ai tuoi compagni.

Nascondino, prendersi, mosca cieca, salto con l'elastico, campana, corsa con i sacchi.

1

2

3

4

5

6

7

8

9

Osserva e scrivi le informazioni su Lisa.   **10**

E adesso descrivi te stesso: Come ti chiami? Quanti anni hai? Cosa ti piace? Cosa non ti piace?   **11**

Unità *tre*

3

Buone vacanze, Lola!

È finita ormai la scuola
per la nostra amica Lola,
i bambini giù in palestra
dan la mano alla maestra.

Tutti corrono felici
Anna, Marco e gli altri amici
e non vedono che Lola
sta piangendo tutta sola.

Lola piange a più non posso,
quando vede un pettirosso,
che dall'alto guarda in giù:
sì, è sempre lei, Lulù.

Cara Lola, triste e sola,
non puoi sempre andare a scuola.
Và a giocare con Martino
a campana, a nascondino.

Vuoi un gelato con la panna?
Và a passeggio, chiama Anna.
E se ancora hai nostalgia,
se non trovi compagnia,

se non sai che cosa fare,
se non sai con chi giocare
leggi un libro, io ti dico
sarà il tuo migliore amico.

Leggi un libro colorato,
è l'amico più fidato.

Buone vacanze, Lola!

Gioco dell'oca

1 Quando compi gli anni?

2 Canta la canzone: "Buon compleanno".

3 Indovina una parola scritta sulla tua schiena dal tuo compagno.

4 Bidù fa una magia. Fa' tre passi avanti.

5 Di' la filastrocca: "Rinoceronte".

6 Che cosa fa Lea?

7 Di' il nome di 5 mesi dell'anno.

8 Che cosa fanno questi animali?

9 Bidù fa una magia. Fa' tre passi avanti.

10 Ritorna al 7.

11 Racconta la storia di Lea di pagina 69.

12 Tira di nuovo il dado.

13 Ripeti la filastrocca dei mesi.

14 Spiega il gioco: "Nascondino".

15 Che cosa fa Marco?

16 Di' la filastrocca del gioco della pace.

17 Di' 5 coppie di parole in rima.

18 Che cosa fanno questi bambini?

19 Fa' tre passi indietro.

20 Racconta la storia di Lola.

Arrivo!

Glossario

Numeri

uno

diciannove

diciassette

due

venti

diciotto

sedici

tre

quindici

quattro

quattordici

cinque

tredici

sei

sette

otto

nove

undici

dodici

dieci

Colori

giallo

verde

azzurro

celeste

grigio

rosso

bianco

arancione

rosa

marrone

nero

viola

blu

A casa

l'armadio

l'asciugamano

il cuscino

lo specchio

il tappeto

la poltrona

la finestra

la sedia

la porta

il letto

il lavandino

il tavolo

la camera   l'ingresso   il bagno   la cucina   la cameretta   il soggiorno

A scuola

il libro

i colori

la maestra

il quaderno

il banco

la sedia

la cartella

il cestino

la gomma

le forbici

la colla

il gesso

la matita

la penna

il righello

la lavagna

l'astuccio

Mangiamo

 il tè

 i peperoni

 la maionese

 il melone

 la carota

 il würstel

 la cioccolata

 il mandarino

 le sardine

 la polenta

 la banana

 la marmellata

 gli spaghetti

la castagna

 lo yoghurt

 lo zucchero

 il kiwi

la torta

 la limonata

 il toast

 l'ananas

la pizza

 lo strudel

 l'insalata

 il caffè

Ci vestiamo

i pantaloni corti

le mutande

i guanti

la giacca

il berretto

la camicia

i sandali

il maglione

le scarpe

la maglietta

la sciarpa

la canottiera

i pantaloni

il cappello

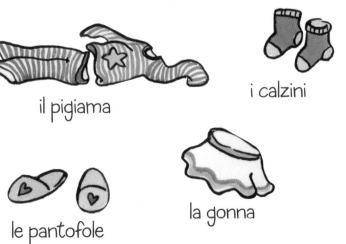

il pigiama

i calzini

le pantofole

la gonna

il cappotto

Direzione editoriale: **Ciro Massimo Naddeo**
Coordinamento editoriale e redazione: **Sabrina Galasso**
Progetto grafico, impaginazione e copertina: **Sergio Segoloni** e **Manuela Conti**
Illustrazioni: **Clara Grassi**, **Daniela Mattei** e **Flavia Decarli**

Coordinamento didattico: **Jolanda Caon**
Consulenza scientifica: **Graziella Pozzo** e **Rita Gelmi**
Coordinamento della sperimentazione: **Giselle Dondi** e **Anna Enrici**

Si ringraziano tutti i bambini coinvolti nella sperimentazione per il senso
di responsabilità e la gioia con cui hanno partecipato al lavoro di revisione
dell'opera e per il grande incoraggiamento fornito agli autori.

Si ringraziano gli sperimentatori Daniela Avancini, Cristina Baldi, Renata
Benedetti, Anita Cava, Ivana Cavalet, Lorella Cum, Giselle Dondi, Anna Enrici,
Simona Galeotti, Carmen Larentis, Gianluigi Leocane, Luigina Maccani,
Pamela Marcaccio, Emanuela Martini, Alexia Modestino, Katia Oberosler,
Alessia Pedrini, Giovanna Plancher, Antonella Scialpi e Giuliana Visintin
per l'attento e prezioso contributo prestato.

Nota
Tutti gli autori hanno partecipato alla progettazione di ogni singola parte
del libro. Fabio Casati ha curato in modo particolare il libro dell'alunno,
Chiara Codato il quaderno di lavoro e Rita Cangiano la guida per l'insegnante.

Ambarabà è un progetto realizzato da **ALMA Edizioni**
in collaborazione con l'**Istituto Pedagogico Tedesco di Bolzano**

Printed in Italy

ISBN 978-88-8923-786-1

© **2007 ALMA Edizioni**

Prima edizione: marzo 2007

ALMA Edizioni
Viale dei Cadorna, 44
50129 Firenze
tel +39 055476644
fax +39 055473531
alma@almaedizioni.it
www.almaedizioni.it

*L'Editore è a disposizione degli aventi diritto
per eventuali mancanze o inesattezze.
I diritti di traduzione, di memorizzazione elettronica,
di riproduzione e di adattamento totale o parziale,
con qualsiasi mezzo (compresi i microfilm e le copie fotostatiche),
sono riservati per tutti i paesi.*